GW00864254

Janosch

# Wie der Tiger zählen lernt

Bassermann

Einmal sagte der kleine Bär:
„Was wünschen Sie heute zu essen, mein lieber Herr Tiger? Zum Beispiel ungefähr wie viele Pilze, weil ich gerade koche."
„11 – 7 – 13", sagte der kleine Tiger.
„So eine Zahl gibt es nicht", brummte der kleine Bär. „Du kannst wohl nicht zählen, oder wie?"
„Nein", sagte der kleine Tiger. „Brauch ich das denn?"
„Das brauchst du dringend nötig", sagte der kleine Bär, „denn wer nicht zählen kann, der geht im Leben unter."
„O je!", rief der kleine Tiger, „unter?"

7

11

13

45
=6
Ach, wie
viele Stern=
lein glim=
mern
5

„Ja“, sagte der kleine Bär, legte den Kochlöffel zur Seite und lehrte den kleinen Tiger zählen:
„Die erste Zahl heißt 1. Sag mal 1!“
„1“, sagte der kleine Tiger.
„Du bist 1 Tiger, und ich bin 1 Bär.“
„Und wie viel ist die Tigerente?“, rief der kleine Tiger.
„Erst kommt die 2. Du hast 2 Äuglein und 2 Ohren. Du und ich, wir sind 2. Fast alles auf der Welt ist ungefähr 2. Sag mal 2!“
„2“, sagte der kleine Tiger. „Und wie viel ist nun endlich die Tigerente?“

„3“, rief der kleine Bär, „3 kommt nach 2. Du und ich und die Tigerente sind im Ganzen genau 3. Doch es geht noch weiter. Dann kommt 4. Dieser Topf und ich und du und die Tigerente sind zusammen genau 4. Man könnte alles auf der Welt zusammenzählen.“

Just genau da kam Maja Papaya mit dem blauen Zopf und war die Nummer 5.

1 – 2 – 3 – 4 – 5

Jeder, der schon zählen kann, darf in dieses teure Buch neben jedes Bild die Zahl schreiben, die er gezählt hat. Zur Erinnerung an die schöne Zeit, als der kleine Bär uns zählen lehrte.

„Also, wie viele Pilze wollen Sie nun speisen, mein lieber Herr Tiger?", fragte der kleine Bär noch einmal.

„2 Pilze in Butter gewendet mit Petersilchen und ein wenig Pfeffersalz. Jedoch keine Semmelbrösel. Dazu 1 Kartoffel. Und Maja Papaya sitzt neben mir."

Also gab es alles das.

6 7 8 9 10

Das da aß
Maja Papaya.

Das da aß
der kleine Tiger.

Das da aß der kleine Bär.

Und als Nachspeise wie viele Himbeeren?

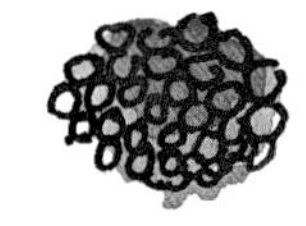
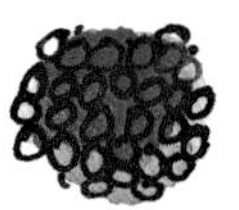
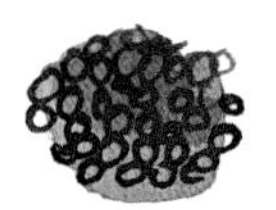

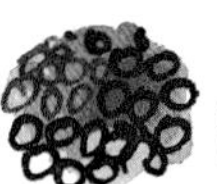

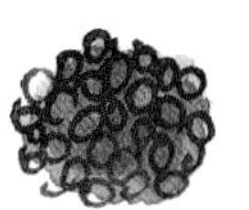

Hinschreiben!

Nun konnte der kleine Tiger bis 8 zählen.

Als der kleine Tiger von so viel Arbeit müde war,
legten sie sich ins Bett. Maja Papaya in die
Mitte. Mädchen müssen warm liegen,
sie haben noch kein Fell. In der Nacht aber
träumte der kleine Tiger eine grüne 9.

Am nächsten Tag wollte der kleine Tiger
mit Maja Papaya in die Schule gehen.
Neue Zahlen lernen.
Damit sie ihn aber nicht erkennen,
zog sich der kleine Tiger ein Röckchen
an, setzte sich ein Hütchen auf, drehte
sich ein Löckchen und sah nun aus
wie Ruthchen Schmutchen.

Als der Lehrer Winkler fragte: „Na, wer kann bis 13 zählen? Du vielleicht, Ruthchen Schmutchen?“, da zählte der kleine Tiger auswendig bis 13.
1 – 2 – 3 – 4 – 5 – 6 – 7 – 8 – 9 – 10 – 11 – 12 – 13
So schön ist es in der Schule.

11 12 13

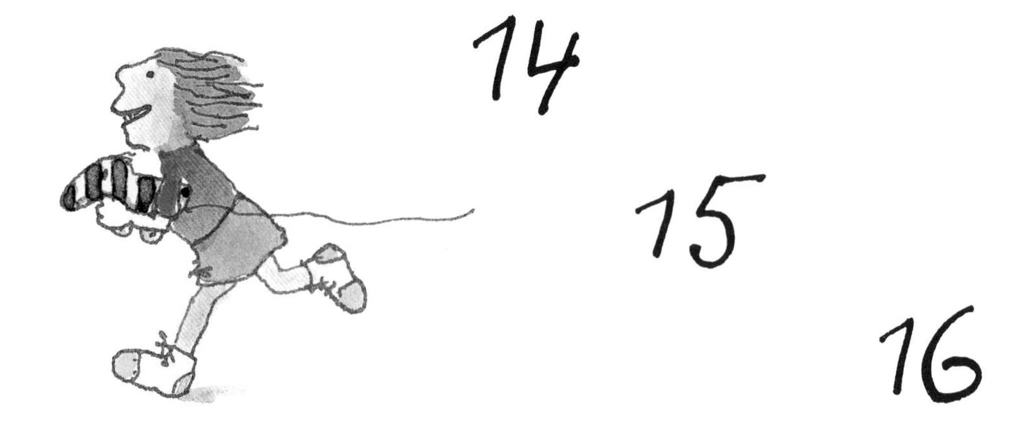


Nach der Schule aber erkannten die Mädchen den kleinen Tiger an seinem Schwanz.
Eine hat ihn gefangen, eine hat ihn festgehalten, und alle haben ihn beküsst.
Jeder Kuss so groß wie eine Kirsche.
Wer kann hier die Mädchen und wer kann die heißen Küsse zählen? Hinschreiben! Zur Erinnerung an die heiße Kusszeit.

17

Und als sie dann nach Hause gingen, rief der kleine Tiger: „Nun zähle ich einmal alle Bäume."
Wer hier die Bäume zählen kann, ist schon wieder Sieger.
Unterwegs sahen sie 1 Fuchs und 1 Gans.

„Ich habe zu Haus 3 Kinder und 1 gute Frau", sprach der Fuchs zur Gans. „Komm zu uns und sei unser Gast, du bist uns hochwillkommen!" Leider ging die Gans mit.
Wer kann nun zählen, wie viele Tiere es vor dem Essen waren? Und wer kann zählen, wie viele es nach dem Essen sind?

Als sie sich ins Gras setzten, rief der kleine Tiger: „Nun zähle ich alle Grashalme der ganzen Welt!" Mein lieber Tiger, was bist du für ein Großmaul! Alle Grashalme der ganzen Welt könnte gar niemand zählen, nicht einmal ein Computer. Denn in jeder Sekunde wachsen Millionen neue Grashalme, und Millionen Grashalme werden von den Ziegen und Pferden gefressen oder sinken um, weil sie alt sind. Also sei vernünftig, ja!

Als sie aber nach Hause kamen, hatte der kleine Bär nichts gekocht. War eingeschlafen, wollte Semmelbrösel zählen, kam bis 39. Und neben ihm stand der Kochtopf und war leer. Dann aber wurde gekocht.

Das da aß
der kleine Bär.

Das da aß
Maja Papaya.

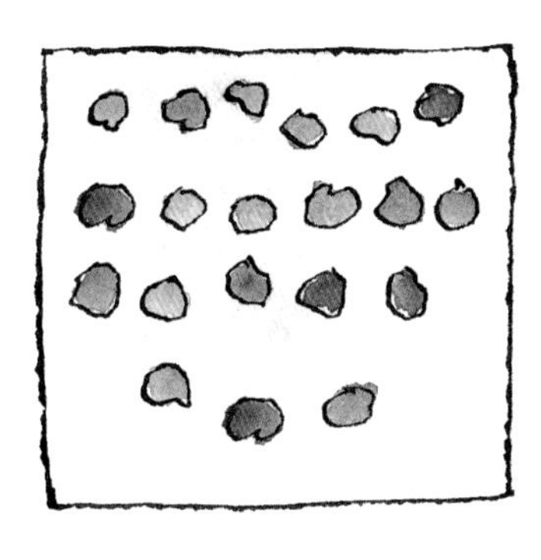

Und so viele
Rosinen aß
der kleine Tiger.

Werner aß
2 ganze Kartoffeln
allein.

Als der Tag zu Ende war, ging Maja Papaya
wieder nach Hause.

Der kleine Tiger aber fragte den kleinen Bären:
„Und wenn alles weg ist? Nix mehr da?"
„Ich bin auch weg?", fragte der kleine Bär.
„Dann ist alles null. Nullo, nullski, nix mehr da."

Wenn aber die 0 hinter einer 1 steht, heißt
die Zahl 10.
Hinter einer 2 heißt sie 2 mal 10. Das heißt 20.
Hinter einer 3 heißt sie 3 mal 10. Das heißt 30.
Bis 20 zu zählen ist eine Kunst.
Ab 20 aber ist es fliegenleicht.
1 und 20 heißt 21.
2 und 20 heißt 22.
Bei 30 geht es genauso: 1 und 30 heißt 31.
bei 40 immer noch so –
bis zum Ende aller Zahlen.

Bei 30 war der kleine Tiger längst eingeschlafen, schlief wie eine tote 5.
Als er morgens um 8 aufwachte, rief er: „Was sollen wir heute zählen, Bär?"
„Freunde", sagte der kleine Bär. „Alle Freunde zusammenzählen."
Sie aßen jeder 1 Brot mit Honig, 2 Äpfel, 11 Himbeeren und tranken 2 Tassen Nuss-Honig-Blaubeermilch.

Um 9 gingen sie Freunde zählen.
„Zuerst zählen wir die Tante Gans“, sagte der
kleine Tiger.

Die Tante Gans hatte Besuch, der Kater Mikesch war gekommen.
„Wir kommen euch zählen“, rief der kleine Tiger. „Ich, der Bär, die Tigerente und Günter, wir sind schon 4.
Ich bin 1.
Der Bär ist 2.
Die Tigerente ist 3.
Günter Kastenfrosch ist 4.“
„Dann bin ich 5“, rief die Tante Gans.
„Nein“, sagte der kleine Tiger, „denn 5 ist Maja Papaya.“
„Dann bin ich 6 und der Mikesch ist 7.“
„Richtig“, nickte der kleine Tiger. „Exakt genau nix falsch.“

5

6

Dann kamen sie zum Hasen mit den schnellen Schuhen.
„Freund oder Feind?“, rief der kleine Tiger.
„Freund“, sagte der Hase mit den schnellen Schuhen.
„Dann wirst du gezählt. Du bist die Nummer 8.“
„Und meine Frau und meine 11 Kinderchen?“, rief der Hase.
„Sind die Nummer 9 und so weiter...“
Und wer hier weiterzählen kann, darf die Zahl ganz groß und bunt in dieses leere Bild malen.

Eines Tages werden wir 31 Jahre alt sein und sagen: „Als ich einmal mit dem Tiger zählen lernte, schrieb ich diese wunderbare Zahl in dieses wunderbare Buch – schaut mal!“

So wird es sein.
Andenken und Erinnerung an
eine schöne
Tigerzeit.

Und als sie den Förster Pribam zählen wollten, hatte seine Frau Wanda Geburtstag. Die Bude voller Freunde. Zählen kaum zu schaffen.

Schmetterlinge, Vögel und Bienen werden mitgezählt – doch aufgepasst! Denn Maja Papaya wurde schon einmal gezählt.

Schreib diese hohe Zahl – sofern du sie geschafft hast – groß und riesenbunt auf diese ganze Seite.

21 25 30 31

Als sie nach Hause gingen, waren da 3 Räuber, der Ix, der Ox und der vernagelte Wenzel (oder Hempel, Pempel und Nasenstüber), und teilten sich ihre Beute.

„Die werden nicht gezählt", sagte der Bär. „Halunken werden nicht gezählt, geh weiter!"

Nach einer kleinen Weile überholte sie der Bauer Nieselregen mit seinem Supertraktor 33 – 7 GT Turbo 2.
„Na, wollt ihr mitfahren, Jungs? Dann steigt auf!"
„Dafür wird er gezählt", sagte der kleine Bär.
„Die Hühner auch?", fragte der kleine Tiger.
„Hühner sind nützliche Tiere, weil sie Eier legen, werden mitgezählt."

„Und das große Schwein?"
„Ist seine Freundin, wird mitgezählt."
„Ich habe auch eine Freundin", sagte der
kleine Tiger, „die heißt Kleines Schwein.
Wird sie mitgezählt?"
„Ist nicht anwesend", brummte der kleine Bär,
„wird nicht mitgezählt."
Und wer bis hier mitzählen konnte ...

... darf die letzte Zahl in dieses leere Feld schreiben. Bis hier zu zählen, ist wahre Kunst. Ein Lob für den wahren Künstler!

Bei dem blauen Teich war der Mann mit der Pappnase und hatte dort seinen kleinen Dampfer geankert.
„Wenn du uns ein wenig über den See schiffst, wirst du gezählt", rief der kleine Tiger.
Also schiffte der Mann mit der Pappnase über den See.
„Meine 2 Matrosenvögel müssen mitgezählt werden", sagte der Mann mit der Pappnase.

„Matrosen und Vögel werden sowieso gezählt", sagte der kleine Bär, „denn wir lieben die Seefahrt und alle Flieger."
Das Schiff hieß Die gelbe Neune.

„Dort hinten, in dieser Richtung, 5000 Kilometer weit, liegt meine Heimat", sagte der Mann mit der Pappnase. „Heißt Hawaii oder so ähnlich."

Wir zählen alle Fische – immer weiter mit der Zahl. Und schreiben die Zahl dick mit roter Farbe auf die weiße Unterwassertafel. Alles klar?

Habt ihr den glücklichen Maulwurf vergessen,
ihr kleinen Schlafpinsel?
„Zufällig nicht getroffen, wo soll er denn sein?"
Sitzt dort im Abendlicht vor seiner Sommer-
laube und schmauchelt ein Honigpfeifchen.
„Dann bekommt er die allerhöchste Zahl", rief
der kleine Tiger, „höher als der Kirchturm von
Niederursel."
Und wer diese Zahl nun weiß.
Wer sie hier hinschreiben kann.
In die Mitte von dieser Seite, ganz groß und
sehr bunt.
In dieses freie Feld – der kann nun zählen
und geht im Leben nimmer unter.

Als sie abends im Bett lagen, sagte der kleine Tiger: „Wenn ich wollte, könnte ich alle Sterne zählen. 1 – 2 – 3 –“
Er kam beinahe bis 51, dann schlief er ein wie eine müde 8.
Und schlief bis in die Früh um 7.

Der Text dieses Buches entspricht den Regeln
der neuen deutschen Rechtschreibung

ISBN 3 8094 1238 4



**Satz:** Filmsatz Schröter GmbH, München
**Druck:** Eurografica, Marano Vicentino

Printed in Italy

121/104880295X817 2635

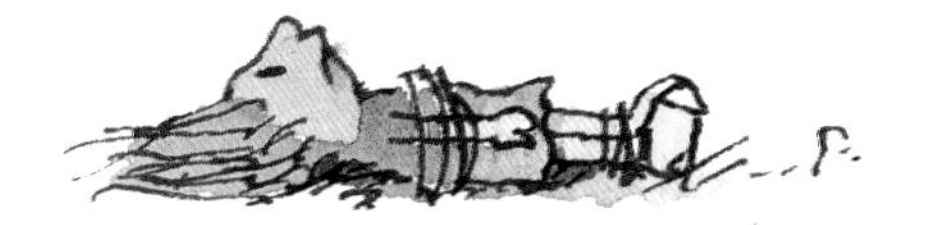